CARRERA SALVAJE

LA GRAN BARRERA CORALINA

CARRERA SALVAJE

¿ESTÁS LISTO PARA LA CARRERA MÁS SALVAJE DE TU VIDA?

Primera etapa: Competencia en la selva

Segunda etapa: La gran barrera coralina

CARRERA SALVAJE

LA GRAN BARRERA CORALINA

·KRISTIN EARHART·
·ILUSTRADO POR EDA KABAN·

SCHOLASTIC INC.

PARA BARBARA, MI SABELOTODO FAVORITA. —KJE

Originally published in English as *Race the Wild: Great Reef Games*

Translated by Ana Suárez

ISBN 978-1-338-32865-3

10 9 8 7 6 5 4 3 2 1   19 20 21 22 23

Printed in the U.S.A.   40
First Spanish printing 2019

Book design by Yaffa Jaskoll

CAPÍTULO 1

GRAN ARRECIFE, GRAN COMPETENCIA

Sage Stevens recorrió el bungaló con la vista y respiró profundo. El olor a salitre le recordó por qué estaba allí. No era por el bufé del almuerzo, que ocupaba casi todo el comedor. Tampoco era para hacer amistad con los otros competidores. Ni siquiera le importaba el paisaje espectacular, ni enviar a casa postales de peces tropicales.

La única razón por la que había ido a Australia era para ganar la etapa siguiente de

"La vida silvestre", una competencia en la que los niños viajaban por el mundo explorando las maravillas del reino animal.

Sage le dio vueltas a uno de sus aretes para calmarse. Estaba levantada desde el amanecer. A pesar de la diferencia de hora, no había necesitado poner el despertador. Tenía el cerebro programado para la competencia. Había despertado a sus tres compañeros de equipo con el silbato que les habían dado en la primera etapa de la competencia; les había sido muy útil en la selva del Amazonas, pero a nadie le hizo gracia escucharlo esa mañana a las 6:47. De haber sabido que la competencia era después del almuerzo, los hubiera dejado dormir. Después de todo, necesitaban energías para los desafíos que los aguardaban.

Sage le dio un codazo a Mari para no perder su lugar en la fila. Aunque Mari era solo un año menor, Sage sentía la necesidad de protegerla. Tal vez le recordaba a su hermanita; ambas eran sabelotodos. Sage se refería así a los chicos excepcionalmente inteligentes. Mari podía recitar dormida datos sobre la naturaleza. Sus conocimientos sobre los animales y su hábitat habían sido decisivos para la victoria del equipo rojo en la primera etapa de la competencia.

—Buena suerte conservando el primer lugar.

A Sage le tomó un momento darse cuenta de que le acababan de hablar. Miró por encima del hombro.

—Gracias —dijo, intercambiando una mirada desafiante con Eliza, la chica más alta del equipo morado. Eliza también era una sabelotodo y quería que todo el mundo lo supiera.

—Oí decir que en esta parte de la competencia se necesita mucha agilidad... mental.

Eliza sonreía de oreja a oreja con arrogancia.

—El equipo rojo está listo —contestó Sage, y extendió el brazo para agarrar un panecillo—. Con tu permiso —dijo, y se volteó.

Cuando avanzó la fila, le sirvió dos salchichas a Mari.

—Tienes que alimentarte antes de competir —dijo, distraída. Así decían siempre sus entrenadores de atletismo cuando repartían barritas de merienda antes de una competencia importante.

Mari miró a Sage con sus oscuros ojos pardos.

—Soy vegetariana —dijo con suavidad, pero sin titubear—. No como carne.

—Entonces, me las como yo —dijo Sage, pinchando las salchichas con un tenedor—. En aquella esquina hay pastas de todo tipo, y queso, y sándwiches de mantequilla de maní.

Sage señaló al otro extremo del comedor. La larga mesa estaba llena de cuanta comida se pudiera imaginar: frutas, pescado a la parrilla, nueces, carnes, tasajo, hortalizas y salsas. Mari asintió y se marchó. Sus trenzas oscilaban al ritmo de sus pasos.

En cuanto Sage terminó de servirse, buscó a los otros dos miembros del equipo. Divisó sus camisetas rojas y se dirigió a su mesa. El plato de Russell tenía una montaña de sándwiches y frutas. El de Dev, en cambio, parecía un afiche de la pirámide de alimentos. Tenía porciones iguales de cada proteína y hortaliza. Sage notó que los guisantes no tocaban las zanahorias ni el puré de papas. Había visto el interior de su mochila y estaba igual de ordenada.

Cuando Mari y Sage se sentaron frente a sus compañeros de equipo, estos pararon de hablar. Russell no le hablaba a Sage desde que los había despertado esa mañana, y la había mirado un par de veces con cara de pocos amigos. Sage pensó que no querían que ella escuchara lo que estaban hablando, pero enseguida notó que el comedor entero se había quedado en silencio.

Bull Gordon acababa de entrar, anunciando su llegada con el sonido típico de sus botas de vaquero. El animador de "La vida silvestre" llevaba el sombrero de siempre, con un enorme colmillo de tiburón adornando la cinta de cuero. Como todos los grandes aventureros, tenía una cicatriz en su bronceado mentón... y tenía también una dentadura blanquísima, que les mostró a los presentes mientras se dirigía al frente del salón.

—Sobrevivieron el Amazonas —dijo, con el pulgar enganchado en una trabilla de su *jean*—. Todos los equipos terminaron en un tiempo impresionante, aunque a unos les fue mejor que a otros con los acertijos.

Al escuchar esto, los miembros del equipo rojo intercambiaron miradas. Los acertijos habían sido su punto fuerte. Le habían robado la victoria al equipo verde en el último momento gracias a que Russell sabía la respuesta de la pregunta final.

—Pero eso ya quedó en el pasado. La Gran Barrera de Coral tiene sus propios desafíos. Es uno de los hábitats marinos más diversos del planeta; esta hilera de arrecifes de coral es tan larga que se ve desde el espacio. A su vez, es frágil, depende de un delicado equilibrio que hay que respetar. Si no cumplen con las reglas, se les multará reduciéndoles el tiempo... o algo peor —agregó, mirando a los participantes.

Sage arrugó la frente, tratando de adivinar qué quería decir Bull. ¿Los descalificarían? Ella no permitiría que descalificaran a su equipo.

—Por lo tanto, lo principal es proteger los arrecifes y, en segundo lugar, protegerse a sí mismos. Están en Australia, donde todo es más grande, más bello y más peligroso. Tienen que tomárselo en serio —dijo Bull.

Sage sonrió, confiada. Bull Gordon podía guardar sus consejos para los demás. Todos los competidores parecían unos novatos. Ella, en cambio, se tomaba las cosas muy en serio desde que nació. Y ahora tenía intenciones de ganar.

SUMAMENTE PEQUEÑOS, SUMAMENTE IMPORTANTES

Aunque los arrecifes coralinos cubren menos del 2% del fondo marino, brindan hogar a una cuarta parte de los animales acuáticos.

La Gran Barrera de Coral es el mayor arrecife coralino del mundo y ocupa aproximadamente 2.000 kilómetros de la costa noreste de Australia.

En ella habitan más de 1.500 especies de peces que se alimentan de las algas que crecen en sus aguas poco profundas, así como de otras plantas y animales pequeños. Cuando no están comiendo, ¡los peces juegan a las escondidas en los arrecifes! Es el lugar ideal para ello, pues está lleno de cavidades y recovecos.

Estos peces se esconden de los depredadores pues hay más de 130 especies de tiburones y rayas que también viven en el arrecife. Muchos depredadores dependen de los arrecifes para alimentarse, como el tiburón nodriza o tiburón gata, que habita en el fondo marino, o el tiburón tigre, un depredador solitario.

AUSTRALIA

GRAN BARRERA
DE CORAL

SUR DEL
OCÉANO
PACÍFICO

COOKTOWN

CAIRNS   MAR DE CORAL

TOWNSVILLE

MACKAY

ROCKHAMPTON
GLADSTONE

CAPÍTULO 2

UN MAPA DEL TESORO

Sin decir más, Bull Gordon le entregó un sobre a cada equipo y se marchó. Sage abrió el del equipo rojo y leyó la hora del comienzo de la competencia.

—Una y media —dijo—. Eso es en cinco minutos. Vayan al baño, agarren algo de comer y nos encontramos aquí. —Le dio un codazo a Mari para que se apurara y miró a los chicos con autoridad.

Por ser los ganadores de la primera etapa, esta vez les tocaba empezar. Sage no iba a permitir que desperdiciaran la ventaja. De regreso del baño, agarró una barrita energética, y luego varias más, por si sus compañeros las necesitaban.

Cómo Dev, Russell, Mari y Sage habían terminado en el mismo equipo era un misterio. Muchos de los participantes parecían conocerse desde antes de la competencia. Los amigos de Russell estaban en el equipo verde, pero los organizadores lo habían puesto a él en el equipo rojo. A Sage esto le parecía raro, pues le daba la impresión de que los organizadores agrupaban a los chicos según su tipo. El equipo morado, que era el de Eliza, estaba lleno de sabelotodos. En el equipo azul todos eran atletas de alto rendimiento. El equipo rojo rompía el molde: sus miembros no tenían mucho en común.

Sage, Mari y Dev habían enviado solicitudes de participación individuales, y a Russell lo habían separado de sus amigos, así que eran cuatro desconocidos. A Sage no le gustaba dejar nada a la suerte y no la entusiasmaba colaborar con tres extraños. Sin embargo, hasta ahora habían resultado ser un buen equipo. Cada uno había cumplido con su papel y había contribuido a la victoria. Aunque todos sabían algo de la vida silvestre, Mari tenía profundos conocimientos de ese tema y adivinaba los acertijos con facilidad. Dev era un genio en tecnología y tenía una mente ingenieril. Russell aportaba fortaleza, no solo física, sino también espiritual. Y Sage era la líder. Su labor consistía en motivarlos a trabajar en equipo.

Una de las organizadoras de la competencia estaba en la puerta, tablilla en mano. Sage se paró a su lado y observó a los demás, con el cerebro a mil revoluciones tratando de adivinar los desafíos que los esperaban ese día. Cuando el equipo estuvo completo, la organizadora levantó la vista y puso el dedo sobre la corona de un cronómetro.

—El segundo equipo comienza dentro de diez minutos. Aprovechen su ventaja —dijo, mirando a Sage, y activó el cronómetro.

—¡Vamos, vamos! —gritó Sage.

La ansiedad de la espera se convirtió en energía. Por fin comenzaba la competencia y se ponían en marcha. Sage se dio vuelta y vio que sus compañeros la seguían. La arena y el agua de color azul claro reflejaban el intenso sol, y una hilera de palmeras brindaba algo de sombra. Aunque el entorno parecía el mismísimo paraíso, Sage iba a la carrera sin fijarse en el paisaje. La arena

estaba caliente y le entraba por las ranuras de las sandalias.

El sol era fuerte, aunque era invierno en Australia. Cuando se acercó al muelle que había al final de la playa, Sage vio a Bull Gordon. Estaba con Javier, el guía del equipo rojo.

—Aquí estamos —gritó Sage, saludando con la mano.

Estaba segura de que sus compañeros se alegraban de ver a Javier. Había sido un buen guía en el Amazonas.

—Equipo rojo, en este momento están en primer lugar. Por lo tanto, serán los primeros en elegir el bote de motor que será su casa hasta mañana, cuando termine la competencia.

Sage observó los distintos botes de varios pisos.

—Tomaremos el que está al final del muelle, el *Aventura Acuática*.

Bull Gordon miró a los demás miembros del equipo.

—Parece que todos tienen el mismo tipo de motor, así que ninguno es más rápido que otros —comentó Dev.

Sage se acordó de que el equipo verde se había hecho de un bote mucho más rápido en la competencia anterior.

—En ese caso, me da igual —dijo Russell, encogiéndose de hombros.

Mari asintió.

—Muy bien, el *Aventura Acuática* es de ustedes. Recuerden respetar los arrecifes —dijo Bull, mirándolos con seriedad—. Javier, dales este acertijo a bordo del bote.

Javier asintió y tomó la carpeta roja. Bull les echó un vistazo a los cuatro competidores.

—¿Qué esperan? Esto es una competencia —dijo.

Los chicos se marcharon en el acto. Sage fue la primera en llegar al bote. Esperó a Javier en la cubierta, para echarle manos al acertijo. El resto del equipo la rodeó mientras abría la carpeta.

—"Mapa del tesoro" —leyó en alta voz.

—¡Fantástico! ¿Creen que se trata de un tesoro de verdad, con joyas y cosas así? —dijo Russell.

—Déjame leer y sabremos —dijo Sage, tratando de no parecer enojada—. "Este es un mapa" —leyó—. "Les enseñará a proteger el mayor de los tesoros del océano. Si encuentran el camino correcto que indican las coordenadas, hallarán el siguiente desafío".

—No es difícil —dijo Dev—. Solo tenemos que fijarnos en los puntos cardinales y buscar las coordenadas en el mapa. Localizamos el lugar y vamos.

—No —replicó Sage—. Mira, este mapa es un rompecabezas de distintos colores.

—Es un mapa de zonificación. —Se percató Russell—. Miren, señala las zonas donde se puede ir y lo que se puede hacer en ellas. Aquí no se puede pescar, y en las áreas rosadas ni siquiera se puede nadar.

Todos estudiaron la leyenda y el mapa.

—Muy bien, chicos —dijo Sage, recorriendo con el dedo la costa australiana—. Necesitamos encontrar un camino que nos saque de esta zona del arrecife sin pasar por los lugares restringidos.

Russell, Dev y Mari se sentaron alrededor de una mesa que había en la parte inferior del bote y se dispusieron a buscar una ruta.

—El acertijo dice que este es un mapa del tesoro. En ese caso, el mayor tesoro del océano es... —dijo Dev, pensando en voz alta.

—El arrecife, por supuesto. El mapa muestra cómo cuidar el arrecife —dijo Mari.

No tardaron mucho en marcar la ruta más rápida y segura para un bote del tamaño del que tenían. Sage corrió a entregarle la ruta al capitán, quien llevaba una gorra blanca con un ancla dorada sobre la visera. Este miró la hoja y asintió.

Sage sonrió al oír el ruido de los motores. Miró el reloj. Su equipo era rápido. Apostó a que los demás equipos no los alcanzarían.

DATOS DEL ANIMAL

CORAL

NOMBRE CIENTÍFICO: muchas familias, incluidas la Acroporidae y la Faviidae

CLASE: Anthozoa, junto con las anémonas de mar y los abanicos de mar

HÁBITAT: aguas poco profundas de los mares tropicales

ALIMENTACIÓN: pequeñas plantas y animales llamados plancton y, algunas veces, peces muy pequeños

El coral de los arrecifes es un animal. En realidad, son cientos (y hasta miles) de animales diminutos que forman una colonia. Un solo coral se llama pólipo.

La mayoría de los corales construyen su propio esqueleto, liberando diariamente pequeñas cantidades de piedra caliza. La forma del esqueleto depende del tipo de coral. El coral cuerno de alce parece una ramificación de cuernos; hay otro que parece un cerebro, y otro que parece hojas de lechuga.

Como todos los seres vivos, el coral requiere de ciertas condiciones para sobrevivir. Necesita alimento y un lugar saludable y seguro donde crecer. El agua no puede estar ni muy fría ni muy caliente. Tampoco puede estar sucia. Todos esos elementos contribuyen al bienestar del arrecife coralino.

CAPÍTULO 3

NAVEGANDO POR LAS NUBES

El mar estaba picado. Durante casi una hora, el bote no dejó de chocar contra las olas. Sage no podía sentarse tranquila, así que se dirigió a cubierta, donde el agua la salpicó. Cuando el bote se detuvo con un resoplido, buscó en el horizonte. Divisó una isla pequeña, de vegetación exuberante, rodeada por un anillo de arena, pero estaba demasiado lejos para llegar a nado.

Sage bajó a toda prisa las escaleras y encontró a Javier sentado junto al resto del equipo.

—¿Qué pasó? Llegamos, ¿verdad? ¿Nos enviaron otro acertijo? —preguntó con voz autoritaria.

—Tómense su tiempo y sabrán qué hacer. ¿Por qué no se van poniendo el traje de buceo? Los protegerá del frío y las aguamalas —dijo Javier.

—¿Aguamalas? —repitió Russell, incorporándose—. Esas cosas son súper venenosas. Ni loco me lanzo yo al agua si hay aguamalas.

—Tienes razón —dijo Javier, con voz tranquila—. Algunas especies son extremadamente tóxicas. El contacto con uno de sus tentáculos puede causar la muerte. Pero no es común encontrarlas en los meses de invierno. De todos modos, estaremos atentos, y el traje es una buena protección. Si ven una, tienen que salir del agua de inmediato.

Dev, Sage y Mari intentaban ponerse el grueso traje de buceo, pero Russell dudaba.

—No te preocupes, chico. Si te pica un agua-mala, te hacemos pipí encima. He leído que la orina neutraliza las toxinas —le dijo Dev, para darle ánimo.

—Esos son mitos —dijo Mari mientras se acomodaba la trenza—. Antes, los médicos re-comendaban utilizar vinagre, pero han descu-bierto que eso puede provocar que los tentáculos liberen más veneno. El tratamiento es compli-cado, así que lo mejor es evitar que nos piquen.

—Eso está mejor. Y no solo porque no quiero que Dev haga pipí encima de mí —dijo Russell.

Sage también sintió alivio cuando Mari des-mintió ese rumor.

—Si están preocupados, fíjense si en el agua hay animales pequeñitos, como camarones. No encontrarán aguamalas donde no tienen qué comer —sugirió Mari.

Sage vio a Russell escrutar el mar. Era obvio que confiaba en el consejo de Mari, porque respiró con alivio. El agua estaba clara.

Justo en ese instante, otro bote de motor salió de detrás de la isla. Javier le hizo señas.

—¡Prepárense para el primer reto! —anunció Javier, sosteniendo una caja de lona. Levantó la tapa y dentro vieron algo parecido a un teléfono inteligente con una antena corta.

—¡La *ancam*! —gritó Dev, metiendo la mano en la caja.

—Qué alegría te ha dado —dijo Russell en tono burlón.

Al principio, Dev detestaba la *ancam*, pero enseguida aprendió a manejar esa rara combinación de *walkie-talkie* y cámara. A través de ella, los organizadores de la competencia enviaban instrucciones, y ellos respondían.

—Llegó la hora. Vayan a aquel bote —dijo Javier.

—¿Ya la tienes? —le preguntó Sage a Dev, cerciorándose de que se encargaría del dispositivo de comunicación.

Dev levantó la *ancam* y sonrió.

Sage chequeó instintivamente que llevaba puestos los aretes y se zambulló. El agua fría le confirmó que había empezado la competencia. Con fuertes brazadas, llegó a la otra embarcación.

Subió por la escalerilla a la pequeña cubierta y desde allí miró a los otros. Dev se acercaba nadando; su abundante cabello negro lucía más lacio que nunca contra su tez morena. Russell, en cambio, no parecía ser buen nadador, a pesar de practicar deportes y tener un cuerpo atlético; pateaba con torpeza y su respiración no tenía un ritmo regular. A Mari le estaba costando más trabajo aún; cuando por fin llegó a la escalerilla, Sage le dio la mano para ayudarla. Parecía desorientada mientras el agua salada le corría por el rostro.

—¿Estás bien? —le preguntó Sage.

—Creo que sí —respondió Mari, sentándose en un banco en la cubierta del bote.

Sage se volvió hacia la capitana de la embarcación y su primer oficial. Ambos llevaban camisas de mangas largas para protegerse del sol. Tenían los ojos del mismo color azul brillante y un espacio entre los dientes delanteros. Parecían madre e hijo.

—¡Hola! Somos miembros de "La vida silvestre" —dijo Sage.

—Lo sabemos, por eso estamos aquí. Me llamo Gayle y él es Cole —contestó la mujer.

—¡Nos llegó el acertijo! —dijo Dev, levantando la *ancam*—. Se lo voy a leer:

Dos vuelan en lo alto y, desde allá,

avistan un hermoso caudal.

Si buscan, no será casualidad,

pues en verdad será un caudal.

—¡Puaj! Deberían cambiar de escritores. No se puede rimar una palabra con la misma palabra —dijo Dev.

—Pero es que tienen significados distintos —señaló Mari.

—¿Y qué? Suena mal. Es una vergüenza.

—¿A quién le importa? ¡Tenemos el acertijo! —dijo Sage, y se volvió hacia Gayle—. ¿Es este un bote de parapente? —preguntó, mirando los equipos que estaban cerca de la popa.

—Así es, y necesito dos voluntarios.

—Ven conmigo, Dev —dijo Sage, y agarró unos binoculares—. Tú tienes la *ancam*.

Dev miró a Mari y a Russell y se paró junto a Sage. Los chicos se ajustaron las hebillas, broches y correas de los chalecos salvavidas y los arneses.

—Mari, ¿nos pudieras dar alguna pista? —preguntó Sage.

—Creo que se refiere a la aleta caudal de la ballena. La cola de la ballena tiene dos aletas caudales. Cuando las ballenas jorobadas saltan fuera del agua, lo último que se ve antes de que vuelvan a sumergirse son las aletas caudales. Son preciosas —dijo Mari.

Sage asintió. Pensó que quizás debería haber elegido a Mari para hacer con ella el vuelo en parapente, pero sabía que Dev sacaría mejores fotos.

—Este es buen momento para ver las ballenas jorobadas —continuó Mari—. Acaban de migrar. En invierno, las aguas de la Gran Barrera de Coral son más cálidas que las del Océano Ártico.

En un instante, Gayle y Cole aseguraron a Sage dentro de una pequeña góndola que a Sage le recordó un teleférico. Dev observaba desde cierta distancia. Luego se acercó, para que Gayle y Cole lo amarraran también.

Gayle haló una palanca para soltar el paracaídas, que se hinchó detrás del bote y se alzó, elevando a los chicos. Sage sintió que volaba.

—¿Qué mirabas? —le preguntó a su compañero unos minutos después.

—Trataba de ver si esto era seguro. Mi papá se moriría si me viera —gritó Dev.

—¿Por qué?

—Porque es ingeniero y siempre se fija en cómo funcionan las cosas.

Sage había estado tan concentrada en la

competencia que no se había detenido a pensar en la seguridad. Eso la sorprendió, por todo lo que había pasado durante el último año, pero solo le importaba llegar a la meta.

—Recuerda que estamos en busca de ballenas —dijo Sage, tratando de enfocarse en algo que estuviera bajo su control—. Ballenas que saltan y se les ve la cola.

Sage observó el paisaje. Se hallaban a muchos metros de altura y el agua debajo era de un azul intenso. Cerca de la costa se divisaba el arrecife. Allí el agua era más baja y parecía mucho más brillante. Vio que se trataba de muchos arrecifes que bordeaban la costa. Desde lo alto, parecían un collar de turquesas. Era difícil creer que algo tan grande estuviera vivo y que los animales que lo conformaban fueran pequeñísimos.

—Es precioso desde aquí arriba —gritó Sage.

—Sí, ojalá Mari y Russell pudieran verlo —asintió Dev.

—Sí —repitió ella.

—¡Mira! —dijo Dev, señalando la *ancam*—. Le agregaron un lente de teleobjetivo. Sin él, no podríamos tomar una sola foto desde aquí.

Mari les había dicho que en las instrucciones advertían no acercarse mucho a las ballenas. Debían mantenerse en un perímetro de no menos de cien metros de distancia, por razones de seguridad.

Dev miró a través de la *ancam*, tratando de enfocar.

—¡Mira! —dijo, emocionado.

—¿Qué? —preguntó Sage, esperanzada.

—Russell está manejando el bote.

—Pensé que estabas preocupado por la seguridad —dijo Sage.

—No lo dejarán hacer ninguna locura —respondió Dev.

Justo en ese momento, la góndola descendió con brusquedad.

—¿Qué fue eso? —gritó Sage, con el corazón en la boca.

—Deben de haber visto algo. —Dev examinó la superficie del mar.

—El sol no me deja ver —dijo Sage, mirando por los binoculares.

—Seguramente por eso aminoraron la velocidad, para que bajáramos un poco y pudiéramos ver mejor —le explicó Dev, con la *ancam* lista para disparar.

"¿En serio?", pensó Sage. Para ella, Russell solo estaba bromeando y perdiendo el tiempo.

Descendieron más y Sage vio la cola moteada de una ballena desaparecer entre las aguas azules.

—¡Allí! —gritó.

En ese instante, una ballena más pequeña salió del agua como un rayo, alzando su aleta en el aire antes de caer de lado con un chasquido que produjo espuma blanca. Lo último en desaparecer fue la aleta caudal, con sus manchas blancas y su borde ondeado. Los dedos de Dev dispararon con prisa: *clic, clic, clic.*

—¿Sacaste la foto?

Dev alargó el brazo con la *ancam* para que ambos pudieran ver las fotos.

—Están un poco borrosas —dijo Sage, preocupada—. Esa es la mejor.

—Cruza los dedos —murmuró Dev, y oprimió "enviar".

El parapente continuaba descendiendo a una velocidad regular y Russell seguía al timón.

—Estamos a punto de caer al agua —dijo Sage.

—Nos subirá —dijo Dev, confiado.

"Más le vale", pensó Sage, porque no se trataba de un paseo turístico. Necesitaban estar listos para sacar más fotos si no aprobaban la primera.

Sage sintió un escalofrío cuando los dedos de sus pies tocaron el agua, y entonces el bote aceleró. En cuestión de segundos, el viento izó el parapente a más de cien metros.

—¡La aprobaron! —exclamó Dev.

—¡Qué alivio! —gritó Sage, y le hizo señas a Cole para que los bajaran. Solo faltaba esperar en el bote, a salvo junto a Mari y a Russell, para enterarse de cuál era el siguiente acertijo.

DATOS DEL ANIMAL

BALLENA JOROBADA

NOMBRE CIENTÍFICO: *Megaptera novaeangliae*

CLASE: mamífero

HÁBITAT: océanos Ártico, Atlántico y Pacífico

ALIMENTACIÓN: plancton, crustáceos pequeños y peces

La ballena jorobada no es un pez. No tiene branquias, sino pulmones, como todos los mamíferos. Respira por dos orificios que se encuentran en la parte superior de la cabeza y puede permanecer bajo el agua hasta veinte minutos.

Migra cada año desde las gélidas aguas del polo hasta aguas tropicales, donde se alimenta de plancton, kril y peces pequeños. Es una ballena barbada; es decir, no tiene dientes, sino barbas, que son algo parecido a las cerdas de un cepillo de dientes y que funcionan como un filtro para atrapar animales pequeños.

La ballena jorobada es de color azul oscuro y sus aletas son blancas en algunas partes. Las manchas del extremo de la aleta caudal, así como las ondas del borde de esta aleta, son únicas de cada ballena, igual que las huellas dactilares de los seres humanos. Gracias a esas características, los científicos las pueden monitorear en su hábitat.

CAPÍTULO 4

AVISTAR LA PISTA

—Casi ni vimos la ballena —dijo Mari.

Sage la notó desilusionada. Si los organizadores de la competencia no hubieran aceptado la foto, habrían tenido que acercarse más.

—Me encantan esas grandulonas —murmuró Mari entre dientes, más para sí misma que para los demás.

A Sage también le gustaban las ballenas desde que las estudió en primer grado y su maestra, la

Srta. Sarah, hizo un experimento muy chévere para explicarles a sus alumnos cómo la grasa ayudaba a las ballenas y a otros animales marinos de gran tamaño a conservar la temperatura del cuerpo en aguas casi heladas. La Srta. Sarah había utilizado en el experimento el mismo ingrediente blanco que su mamá usaba para hornear. Fue increíble.

—Tenemos que continuar, miren los demás parapentes. Es posible que no hayamos sido los únicos que pudimos sacar la foto en el primer intento —dijo Sage, deseando que pudieran quedarse un poco más para que Mari viera mejor las ballenas.

—Sage tiene razón y, además, ya tenemos el segundo acertijo —dijo Dev.

Los animales del arrecife compiten
para que el espacio y el alimento
no les quiten.
Los más inteligentes
conspiran y traman,
en equipo siempre trabajan.
Den tres ejemplos.

—Debemos buscar ejemplos de simbiosis, ¿no? —preguntó Dev.

—Mi maestra de ciencia lo llama "mutualismo", pero me parece que es lo mismo: dos organismos distintos que viven juntos y dependen uno del otro —explicó Sage.

—Y ambos se benefician —agregó Russell.

Sage miró a Mari de reojo, y la chica asintió levemente y miró al mar. Era extraño que Mari todavía no hubiera hecho ningún comentario sobre el acertijo. Normalmente ya habría soltado varias teorías.

Javier les dijo que podían obtener los ejemplos nadando en el arrecife o desde el interior de un barco con fondo de vidrio, diseñado para observar las criaturas marinas.

—Si decidimos nadar, ¿cómo nos vamos a comunicar en el agua? ¿Nos pueden dar radios submarinos bidireccionales? —preguntó Dev, emocionado.

—Eso sería fabuloso, pero no. Si necesitan comunicarse, el barco es la mejor alternativa —dijo Javier.

Aunque a Sage le hubiera encantado meterse en el agua y ver de cerca la vida submarina, todos estuvieron de acuerdo en elegir el barco.

—Muy bien. Gale, ¿puedes llevarnos al puerto donde están los barcos con fondo de vidrio? —dijo Javier.

Cole acababa de recoger el equipo de parapente y Gale encendió el motor.

—¿No vas a darle el timón a Russell? —preguntó Dev.

Sage sabía que era una broma, pero Gale parecía estar considerándolo.

—No, por favor —soltó Sage, sin pensarlo.

—Te vi la cara, no necesitaba prismáticos para darme cuenta de que estabas asustada —le dijo Russell con picardía.

Sage frunció el ceño.

—Pensaste que iba a dejarte caer. ¿Cómo se te ocurre? ¡Mi socio Dev iba contigo! —agregó Russell, riéndose.

El chico tomó a Sage por los hombros, riéndose aun más. Dev también se echó a reír y Sage fingió una sonrisa. Russell y Dev podrían no tomarse la competencia en serio, pero ella sí y no iba a permitir que retrasaran al equipo.

—Russell hizo un trabajo estupendo —dijo Javier, comprensivo y amable como siempre—, pero seguro estarán de acuerdo en que estamos contrarreloj.

—Sí —exclamaron todos a la vez.

Sage se sentó junto a Mari. Sin duda, era incómodo estar en un equipo con desconocidos. Conocía a los chicos de su equipo de atletismo y natación desde hacía años y todos sabían los puntos fuertes y débiles de cada cual, pero nunca había tenido que colaborar y planificar estrategias con ellos. Incluso en la carrera de relevos, cada cual era responsable de su tramo. Sin embargo, "La vida silvestre" era otra cosa.

Sage nunca planeó entrar sola a la competencia. Siempre contó con que estaría en el mismo equipo de su hermana Caroline. ¿Habría tomado la decisión correcta? Tal vez debió haber esperado a que ella pudiera participar. Caroline era la única persona que la entendía de verdad y deseaba tenerla a su lado en ese momento.

Intentó quitarse ese pensamiento de la cabeza. El equipo rojo iba a la delantera. Si ganaban la competencia, recibirían un millón de dólares que se repartirían entre todos. Con esa cantidad podían hacerse muchas cosas. Sage contaba con ese dinero. Lo necesitaba.

*   *   *

Pronto llegaron a un pequeño puerto con varias embarcaciones atracadas. Todas eran largas y estrechas, con asientos techados y una cabina al frente. Bastaba con mirarlas para darse cuenta de por qué las llamaban "fondo de vidrio". A lo largo de cada embarcación había una hilera de ventanas por las que se veían las cristalinas aguas del fondo submarino.

—¡Vamos, chicos! —dijo Sage.

Le dio la mano a Mari, entusiasmada, y sintió la mano de la chica fría y sudada.

—Parece que se acerca otro equipo. Podrían esperar y descifrar juntos el acertijo —dijo Javier cuando subieron al barco con fondo de vidrio más cercano, mientras sostenía con ambas manos la soga que lo amarraba al muelle.

Sage levantó la vista y vio unos trajes de buzo de color morado que se acercaban en un bote. Algo le decía que los chicos del equipo morado llevaban rato debatiendo el acertijo. A lo mejor, hasta tenían una lista de posibles respuestas y sabían en qué parte del arrecife debían buscarlas.

—Sabelotodos —refunfuñó Sage.

DE MENOR A MAYOR

Plancton es el nombre de algunos de los organismos vivientes más pequeños del océano. La palabra *plancton* se refiere lo mismo a una planta (fitoplancton) que a un animal (zooplancton), pero siempre se trata de un organismo pequeño.

Muchos animales marinos, incluido el coral, se alimentan de plancton. También es una de las fuentes alimentarias de algunos de los animales más grandes del océano. Las enormes ballenas barbadas, por ejemplo, desde la azul hasta la jorobada, filtran el plancton del agua.

Los peces pequeños comen plancton, y luego los más grandes se los comen a ellos. Todos los organismos marinos están interrelacionados. Los depredadores más grandes dependen de pequeñísimas plantas y animales para subsistir.

plancton

peces pequeños

ballena barbada

peces grandes

tiburón

CAPÍTULO 5

¿UNA DECISIÓN INTELIGENTE?

Era la primera vez, desde que empezó la competencia, que tenían la opción de colaborar con otro equipo. Sage miró otra vez a los chicos del equipo morado. Estaban cerca y podía verles las caras. Todos sonreían, pero a medias.

—Queremos ir solos —dijo.

Javier arqueó las cejas y miró a los demás. Como nadie dijo nada, tiró la soga, que golpeó sobre la popa del barco, y pasó entre Dev y Russell para hablar con el capitán.

De una vez, los chicos del equipo rojo se inclinaron y se quedaron maravillados. Tenían la sensación de que podían atravesar el vidrio y sumergirse en las aguas cristalinas para nadar entre los peces que pasaban veloces y las algas que se mecían con la corriente.

—El capitán pregunta si quieren ir a alguna parte específica del arrecife —dijo Javier.

Todos miraron a Mari.

—A mí no me miren —dijo la chica, secándose el sudor de la frente.

Sage frunció el ceño. Mari había estado muy callada últimamente, demasiado para su gusto.

—¿Y el mapa? —le preguntó Sage a Russell.

—El mapa dice adónde podemos ir y adónde no para proteger el arrecife, pero no dice dónde podemos encontrar una anémona o un pez payaso —dijo Russell.

Todos en el equipo rojo conocían los ejemplos clásicos de simbiosis.

—¡A cualquier parte donde haya simbiosis! —gritó Sage a quienes iban en la proa.

—Conprendo, pero tienen que decirme un lugar —respondió Javier.

—El pez payaso es el único que puede convivir con las anémonas. Tiene el cuerpo cubierto de una mucosa tan babosa que los tentáculos tóxicos de las anémonas no los tocan —explicó Dev.

—Me parece que no es por eso —dijo Sage.

—En parte tiene razón —dijo Mari, como si pidiera disculpas por Dev—. El pez payaso tiene una capa protectora. Los científicos piensan que es una mezcla de mucosa del pez y mucosa de anémona, y que por eso las anémonas no lo pican.

—Ah, qué ternura... y qué asco —comentó Russell.

—Entonces, lo que buscamos es un pez que parece una cebra en medio de un montón de tentáculos. Eso es fácil —dijo Sage.

Y lo fue. Solo les tomó cinco minutos.

—¡Allí! —gritó Russell, señalando un pez anaranjado y blanco que nadaba entre un matorral de altas hierbas moradas.

Dev levantó la *ancam* como un profesional y enfocó. *Clic, clic, clic.*

—Esta foto se ve bien —concluyó.

—Entonces, mándala —dijo Sage.

En ese momento, un pez plano color verde limón, con hocico de trompeta, se acercó a la anémona. El pez payaso fue hacia él a toda velocidad y lo alejó.

—El pez payaso ahuyenta a los depredadores a cambio de tener un lugar seguro donde vivir entre los tentáculos de la anémona. Está defendiendo su territorio —explicó Russell.

—Y nosotros tenemos que defender el nuestro. No podemos perder la ventaja —dijo Sage.

Enseguida se pusieron a buscar otro ejemplo de simbiosis. Vieron una almeja enorme, pero estaba sola.

De pronto, Sage sintió algo raro.

—¿Qué es eso? —preguntó Russell, señalando hacia un costado del bote.

—Sea lo que sea, es grande —dijo Dev, parali-
zado, sosteniendo la *ancam* a la altura del pecho.

El barco comenzó a mecerse con las olas. Sage
vio una sombra enorme meterse debajo del mismo.
Una masa turbia y oscura tapó el cristal del
fondo. Russell se agarró de la baranda para no
caerse.

—¡Está en todas partes! —dijo.

—¿Qué está pasando? —preguntó Mari.

La sombra cambiaba de posición constante-
mente y se movía sinuosa alrededor del barco.
Estaba en todas partes a la vez. Sage se asomó por
la baranda y pudo verla bien. No se trataba de un
pez gigante, sino de cientos de peces. Tenían el
cuerpo plateado, en forma de bala, y cambiaban de
rumbo a toda velocidad y con gran precisión.

—Es un banco de peces —dijo Sage, con alivio—. Deben ser barracudas. ¿Qué crees, Mari?

Cuando se volvió hacia su compañera de equipo, Mari estaba verde. Se había arrinconado en una esquina y se cubría los oídos.

—Mari, ¿qué te pasa? —Sage corrió hacia ella—. ¡Javier, Mari está enferma!

Mari se encogió aún más y entrecerró los ojos.

—Me parece que se me está llenando de agua el cerebro —dijo, apartando a Sage.

—Está mareada —dijo Javier—. Sage, presiónale la muñeca con el dedo pulgar, así.

Sage había escuchado que presionar ciertos puntos del cuerpo aliviaba el mareo producido por el movimiento. Javier sacó su *ancam* y empezó a oprimir botones. Luego leyó la pantalla, cerró la *ancam* y buscó en su mochila.

—Tienes que tomarte esto, Mari —dijo, dándole una pequeña cápsula que contenía un polvo granulado. Entonces se volvió hacia Sage—. Ahora, presiona en la otra muñeca.

Cuando Sage le tomó la mano a Mari, la tenía sudorosa. La invadió una sensación familiar.

—Ustedes sigan buscando, está empezando a ponerse el sol —les dijo a Dev y a Russell.

—Chicos, no quiero alarmarlos, pero hay un toque de queda en la noche. Recibirán un mensaje por la *ancam* cuando tengan que parar —dijo Javier mientras ordenaba su mochila.

—¿Qué? ¿Cómo es eso? —preguntó Dev, mirando su *ancam* con incredulidad.

—Podrán continuar por la mañana. No pueden pasarse la noche buscando.

Cuando Javier regresó al camarote, los chicos

volvieron a sus puestos. Sage estaba indecisa. No quería que el equipo rojo perdiera la ventaja. Tenían que ganar la competencia, pero no podía dejar a Mari, aunque esta se había quedado dormida. Lucía muy frágil, como su hermana Caroline.

—Esto tiene que ser algo —dijo Dev, y Sage se dirigió hacia donde señalaba—. Miren a esa anguila grande, quietecita ahí abajo, cerca del fondo.

Sage hizo una mueca cuando vio la cara de malvada y la mirada exánime de la anguila.

—Fíjense en la cola —dijo Dev.

Sage observó el cuerpo alargado y tubular de la anguila y vio que, en la punta de la cola, había un pez pequeñito con una llamativa raya negra.

—¿Qué hace ese otro pez ahí? La anguila se lo pudiera comer de un bocado —dijo Russell, al ver que el pececito mordisqueaba la piel de color anaranjado oscuro del pez más grande.

—Me parece que a la anguila le gusta. Creo que el pececito la está ayudando —explicó Dev.

—Debe de ser un pez limpiador —dijo Mari de pronto. Cuando sus compañeros se voltearon, ella ni siquiera parecía despierta—. Se comen las células muertas de la piel y las escamas de otros peces.

—Alucinante —dijo Russell.

—Y los parásitos, también se comen los parásitos —agregó Mari—. Son muy útiles.

—Y repugnantes —dijo Russell.

—También son un excelente ejemplo de mutualismo —dijo Sage—. La anguila se limpia y
el pez limpiador se alimenta. Saca la cámara
—dijo, dándole un codazo a Dev.

Luego volvió junto a Mari, que lucía un poco
mejor. Ahora la chica tenía un color verde claro...
mucho mejor que el verde espinaca de hacía solo
unos minutos. Sage se sentó a su lado y observó a
los chicos.

—Bien hecho —les dijo—. Ahora solo nos falta
una foto.

—¿Sabes qué, Sage? —Russell estaba de espal-
das a la chica, y le habló sin voltearse—. No puedes

hacer nada por Mari, pero a nosotros sí nos podrías ayudar.

Sage se molestó. ¿Quién se creía Russell que era? No le gustaba que le dijeran lo que tenía que hacer. ¿Y cómo sabía él si estaba ayudando a Mari o no? No obstante, regresó al centro del barco y trató de recordar todo lo que sabía de los arrecifes.

Con el atardecer, el mar se había tornado más oscuro, como si lo estuvieran viendo a través de un vitral.

—Los peces están corriendo a esconderse —dijo Dev.

La caída de la noche transformaba el arrecife. Por debajo del barco ya había pasado un tiburón, brillante y sigiloso, pero siguió su camino impulsado por su fuerte cola. Muy pronto, los tiburones y otros depredadores se adueñarían del arrecife.

Se escuchó un grito entre el murmullo del mar. Sage prestó atención.

—Aplausos —murmuró Russell.

Sage sabía lo que significaban. Otro equipo había completado el acertijo. Se devanó los sesos. Solo necesitaban una foto más. Pero el sol se ponía y el cielo adquiría tonos dorados, rosados e índigos. La competencia terminaría de un momento a otro y ella estaba segura de que su equipo había perdido la ventaja.

DATOS DEL ANIMAL

TIBURÓN PUNTA NEGRA

NOMBRE CIENTÍFICO: *Carcharhinus melanopterus*

CLASE: pez

HÁBITAT: océanos Índico y Pacífico, Hawái y el mar Mediterráneo

ALiMENTACióN: peces, mantarrayas y, a veces, cangrejos, calamares y otros animales de los arrecifes

Como su nombre lo indica, el tiburón punta negra tiene una mancha de ese color en la punta de las aletas. Prefiere las aguas poco profundas, cerca de los arrecifes de coral. Es alargado y ágil y a veces caza en grupo. Es un depredador muy atlético, capaz de saltar fuera del agua para atrapar a un pez en el aire. Aunque vive en aguas donde las personas suelen nadar y bucear, como la mayoría de las especies de tiburón, no constituye un gran peligro para los humanos si se toman las debidas precauciones.

CAPÍTULO 6

BUENOS REFLEJOS, MAL EQUILIBRIO

El equipo rojo ya no distinguía nada en el fondo del agua.

—Hay demasiada oscuridad —dijo Dev.

En ese instante, las luces submarinas del barco se encendieron y pudieron ver que el arrecife se llenaba de otro tipo de vida.

—Ánimo, chicos, podemos lograrlo —dijo Sage, tratando de estimularlos.

—Miren el coral, los pólipos están saliendo a comer —dijo Dev.

Lo que parecía un solo coral era en realidad una colonia de miles de pólipos. El coral, que estaba inmóvil hacía apenas un momento, comenzaba a cobrar vida. Miles de tentáculos se alargaban para buscar la cena. Algunas colonias parecían flores. Otras, hongos; y otras parecían los cuernos de un venado. Los pólipos eran coloridos y diminutos.

—Dense prisa —dijo Sage—. Siento que nos han puesto una pistola en la sien.

—Pistola —murmuró Dev.

Sage lo miró. Estaba concentrado en sus pensamientos.

—Eso me recuerda al camarón pistola. ¡Eso es! —exclamó Dev—. Debemos buscar un góbido y un camarón pistola. El camarón es casi ciego y cava una madriguera en la arena. El góbido la comparte con él y cuida del hogar común.

—Muy interesante, pero ¿los podremos encontrar de noche? —dijo Russell.

—No sé —reconoció Dev.

—Bueno, vamos a ver —dijo Sage.

Todos observaron el mar. Sage se llevó las manos a las orejas, como por instinto.

—Eh... —murmuró—. Se me perdió un arete. —Sintió la mirada de los chicos sobre ella cuando se arrodilló para buscarlo—. Debe habérseme caído ahora mismo. Es una mariquita.

Pero no lo encontró, así que se acercó a donde estaba Mari. Dev miró a Russell.

—Pensé que estábamos buscando ejemplos de simbiosis, no accesorios —dijo.

Sage se volvió justo a tiempo para ver que Russell reprimía una sonrisa burlona. Siempre estaban bromeando. No comprenderían.

Buscó el arete por esa área y tampoco lo encontró. Se tocó otra vez la oreja y sintió algo. El arete se había enganchado con el pelo y ahora su mano lo había desenredado sin querer. Con el rabillo del ojo, vio cómo resbalaba por el hombro, rumbo al agua, y se abalanzó tras él. Lo agarró y cerró la mano. ¡Por suerte, tenía buenos reflejos! Pero no buen equilibrio. La mitad de su cuerpo estaba fuera de la baranda del barco y, en cuestión de segundos, cayó al agua de cabeza.

Dev y Russell se asomaron a verla. Cuando se aseguraron de que estaba bien, se echaron a reír.

—Te quedó elegante —dijo Russell.

—Casi en cámara lenta —agregó Dev.

Sage puso mala cara. ¿Por qué todo les parecía gracioso?

—Qué lástima que haya tanta oscuridad. Me hubiera encantado verte bien la cara —dijo Russell. Sage no podía creer que estuviera sonriendo—. Dame la mano, te ayudaré a subir.

—Puedo nadar hasta la escalerilla, gracias —dijo Sage, poniendo los ojos en blanco—. Deberían estar buscando el otro ejemplo de simbiosis. ¿Se acuerdan? Casi no queda tiempo.

—Ah, ¿eso es lo que estabas haciendo? —dijo Dev, y chocó los cinco con Russell antes de que ambos desaparecieran de la baranda.

Sage estaba furiosa consigo misma. No solo había logrado que el equipo rojo perdiera tiempo valioso, sino que también les había dado un motivo para que se rieran, como si no tuvieran suficientes. La buena noticia era que todavía tenía el puño cerrado. Quizás había sido el hazmerreír, pero tenía el arete. En cuanto subió al barco, lo guardó en la mochila y fue a ocupar su lugar junto a los chicos, con más determinación que nunca.

—¿Qué es eso? —preguntó Russell.

Sage lo oyó también. Un zumbido sordo iba aumentando de volumen. Dev sacó la *ancam*. Se había encendido una luz roja intermitente.

—Se acabó el tiempo por hoy —dijo Javier, acercándose a los chicos y sentándose junto a Mari—. A las ocho en punto de la mañana se reinicia la competencia. Hasta entonces, no pueden mandar ninguna foto.

—Lo sabemos —dijo Sage, con la cabeza baja—. Lo sabemos.

Cuando llegaron al muelle, se despidieron del capitán.

—Hay un centro turístico del otro lado de la isla, pero mejor pasamos un rato aquí —dijo Javier, cargando una nevera—. A Mari le hará bien quedarse un rato en tierra firme. El bote de motor vendrá a recogernos más tarde.

Sage ayudó a Mari a llegar a la playa. Cuando la chica se sentó, Sage se quitó las sandalias para sentir la arena fina. Los demás se sentaron a comer sobre una manta, pero ella tomó unas uvas y se puso a caminar de un lado a otro. Todavía estaba nerviosa por todo lo que había pasado.

Apenas habían comenzado a comer cuando Mari dio un grito.

—¿Qué pasa? —preguntó Sage.

—A mí, nada. Pero mira esa tortuga.

Cerca de la orilla había una tortuga que trataba de avanzar por la arena. Mari corrió a verla.

—Se ha perdido, las tortugas no vienen a tierra en esta época del año.

—Tienes razón —dijo Javier—. Esta isla la cierran cuando las tortugas vienen a desovar, pero todavía no es la temporada.

La tortuga respiraba con dificultad porque no estaba acostumbrada a estar fuera del agua. Mari no quería acercarse demasiado, pero se agachó para observarla mejor y, cuando vio sus aletas delanteras, saltó.

—Está herida. Tiene una red enredada en una aleta y en el pescuezo —dijo, señalando los hilos de la red que se enterraban en la escamosa piel de la tortuga.

—Quédense aquí —dijo Javier, poniéndose de pie—. En el centro turístico hay especialistas que se dedican a proteger los animales. Ellos sabrán qué hacer —añadió y, diciendo eso, se marchó.

—¿Cómo sabes que es hembra? —preguntó Russell intrigado, arrodillándose junto a Mari.

—No lo sabía, lo adiviné —confesó la chica, con aire de satisfacción.

—Mari no lo sabe *todo* —soltó Dev.

—Bueno, adiviné porque vi que no tiene la cola muy larga —dijo Mari, inclinando la cabeza hacia un lado—. La cola del macho de la tortuga verde sobresale mucho más del caparazón, así que supuse que era hembra.

—A eso es a lo que me refiero —dijo Russell, con orgullo un poco exagerado—. Te extrañamos hoy, Mari.

—Siento haberme enfermado —dijo Mari, arrastrando un dedo por la arena.

—No te preocupes, sacamos dos buenas fotos —le dijo Sage, y se sacudió las boronillas de un panecillo—. Por la mañana tomaremos la última.

—¿Puedo preguntar qué encontraron?

Le hicieron un breve resumen. A Sage le sorprendió que Mari no se acordara de casi nada de lo que había pasado en el mar.

—¿Y el coral y las algas que viven dentro de él? —preguntó Mari, ajustándose la trenza.

¡Por supuesto! Sage no podía creer que se le hubiera pasado. Las algas son unas plantas simples. El coral les brinda un hábitat seguro y ellas le proporcionan energía y oxígeno que producen mediante la fotosíntesis. ¿Cómo se le pudo

olvidar? Su hermana habría pensado en eso enseguida. A Caroline le encantaría burlarse de ella
por no haberse acordado.

—Puedo sacar esa foto mañana a primera hora
—dijo Dev, con tono de frustración y alivio a la
vez.

Los cuatro permanecieron callados.

—¿Qué van a hacer con el dinero si ganamos?
—preguntó Russell, agarrando una fruta que
encontró en el suelo. Le hizo una seña a

Dev, quien se puso de pie, listo para recibir el pase.

—Yo le daría casi todo a mi mamá para que abra un negocio propio —dijo Dev cuando atrapó la fruta—. ¿Y tú? —le preguntó a Russell, lanzándole la fruta de vuelta.

—Yo donaría una parte al centro de recreación de mi distrito, no sin antes comprarme un teléfono nuevo y un Xbox, por supuesto —dijo Russell, y saltó para agarrar la fruta.

—Yo me compraría alguna ropa que no sea de segunda mano y le daría una parte a organizaciones que protegen la vida silvestre —dijo Mari.

Sage pensó una vez más en su hermana. Caroline haría lo mismo. Ella siempre pensaba en grande y estaba harta, también, de ponerse ropa

usada. De pronto escuchó pasos que se acercaban por el muelle y se volvió hacia sus compañeros
de grupo.

—Yo solo quiero ganar —dijo, poniéndose
de pie.

—No hace falta que lo digas —susurró Russell.

—Pero prefieres encontrar tu arete —agregó
Dev.

A Sage le pareció que era una broma, pero
tampoco estaba muy segura. Se alegró de que
fuera de noche y hubiera oscuridad. Si esperaban que dijera algo, se iban a sentir muy de-
fraudados.

Javier regresó con dos empleados del centro
turístico. En los años que llevaban trabajando en
la isla habían rescatado muchas tortugas extravia-

das. Algunas habían quedado atrapadas en las redes de pesca, otras se habían golpeado con el motor de alguna embarcación, otras habían sido atacadas por tiburones o habían comido basura y se habían enfermado. Silvia, una de las rescatistas, tenía el presentimiento de que podrían ayudar a la tortuga que Mari había encontrado.

—Cuidaremos bien de ella —les prometió.

A Mari le fue difícil separarse de la tortuga, pero todavía se sentía medio mareada y no protestó mucho. Javier llevó a los chicos al bote. Caminaron en silencio por el muelle. Cuando estuvieron en la cubierta, le dio otra píldora a Mari.

—Se acerca una tormenta. Dicen que no es grande, pero debes estar preparada —dijo.

Todos asintieron y se dirigieron a sus camarotes, dando las buenas noches en voz baja. Sage quería decir algo positivo para levantarle el ánimo al equipo de cara a la competencia del día siguiente, pero no encontró palabras. Tampoco creía que la fueran a escuchar. No estaba dando lo mejor de sí. Se había distraído y eso es algo que los verdaderos líderes no pueden permitirse.

Mari le sonrió con debilidad, se tomó la píldora y subió a su litera. Si hubieran terminado de responder el acertijo, habrían podido conversar sobre el próximo reto. Sage pensó que quizás debían planificar lo que harían en la mañana, pero nadie parecía estar de ánimos para eso. Pensó que todos estaban muy cansados, aunque escuchó a Dev y a Russell susurrando en su camarote hasta mucho después de que apagaran las luces.

DATOS DEL ANIMAL

TORTUGA VERDE

NOMBRE CIENTÍFICO: *Chelonia mydas*

CLASE: reptil

HÁBITAT: mares tropicales de todo el mundo

ALIMENTACIÓN: cuando son adultas, comen solo algas, hierbas y otras plantas;

cuando son jóvenes, se alimentan de plantas y algunos animales pequeños, como gusanos, cangrejos y caracoles.

Cuesta trabajo identificar a una tortuga verde. Ni su caparazón ni su piel suelen ser de ese color. Esta especie debe su nombre al color de la grasa que tiene bajo la piel. Algunas tortugas, sin embargo, tienen el caparazón verde, mezclado con marrón, gris o negro.

Las tortugas pueden vivir más de cien años y pesan hasta 450 libras. Sin embargo, están en peligro de extinción. Tienen innumerables depredadores y muchas mueren antes de romper el cascarón o durante los primeros años de vida.

Aunque desovan en las playas, las tortugas verdes pasan casi toda su vida dentro del agua. Los machos nunca salen del mar. Las hembras solo salen a poner los huevos, en la misma playa donde nacieron, como hicieron sus madres, aunque para ello tengan que nadar cientos de kilómetros.

CAPÍTULO 7

UN MAL AMANECER

Sage se despertó aturdida por las olas que habían estado sacudiendo el bote durante toda la noche. Contrario a su costumbre, decidió dormir un rato más. De todas formas, siempre se levantaba demasiado temprano. Se tapó la cabeza con la sábana y solo se despertó cuando alguien tocó a su puerta.

—¿Sage? —dijo Mari—. Son las ocho menos cinco. Dev va a sacar la foto del coral y el alga. ¿Quieres levantarte para estar lista?

—¿Qué? —se quejó Sage—. ¿Cómo no sonó mi despertador?

Se tiró de la cama, se puso el traje de baño, agarró el reloj y se amarró el cabello, en una secuencia de eficaces movimientos que parecían coreografiados.

—Pensé que necesitabas dormir —explicó Mari.

—No te toca a ti tomar esa decisión —dijo Sage—. Necesito estar de pie.

Tenía que competir y no podía hacerlo desde la cama. ¿Qué le habría pasado a su despertador?

Corrió escaleras arriba y vio a Dev inclinado sobre la baranda del bote, sacando fotos. *Clic, clic, clic.*

—¡Ya está! —dijo—. Ese era un ejemplo de

simbiosis muy fácil de encontrar. Lástima que no se nos ocurrió ayer.

Sage miró el reloj.

—Son las ocho menos un minuto, no la vayas a mandar antes de las ocho.

—Buenos días para ti también —dijo Dev, muy animado.

Sage puso los ojos en blanco y agarró una banana.

—¿A ninguno de ustedes lo afectó la tormenta? —preguntó.

—La verdad es que no —dijo Russell.

A Sage le costó trabajo pelar la banana. ¿Qué más le saldría mal esa mañana?

—Parece que tenemos que ponernos los trajes de buceo otra vez —dijo Dev, todavía extrañamente contento—. Aquí está el próximo acertijo:

Se arrastra por el fondo del mar
con sus ocho o veinte brazos, o más.
Es un monstruo espinoso y
sorprendente
que devora el coral cual si
fuera un banquete.

—Espinoso, muchos brazos, devora el coral —repitió Mari—. Es la estrella de mar corona de espinas.

—Muy bien. ¡Qué bueno que regresaste, Mari! —dijo Dev.

Sage asintió y le dio un mordisco a la banana. Al menos, Mari volvía a ser la misma de siempre.

—Según el mapa, el bote está anclado en un buen lugar —explicó Russell—. Solo tenemos que tirarnos al agua.

Los chicos se miraron. Sage se tragó lo que quedaba de la banana de un bocado.

—Entonces, vamos —dijo Dev.

Todos agarraron la careta y el *snorkel*. Cuando se estaban poniendo las patas de rana, Mari les recordó qué era lo que debían buscar. Era una especie de estrella de mar con muchos tentáculos cubiertos de espinas venenosas. Parecía un pequeño cactus tóxico. Podía ser de color morado vivo, anaranjado o rojo.

—Lo más importante es que estará sobre el coral, devorándolo —dijo.

Todos estaban listos, menos Sage.

—Date prisa, Sage —dijo Dev—. ¿Por qué siempre tenemos que esperar por ti?

—¿Qué? —dijo Sage con mala cara, mientras se ajustaba las patas de rana.

—Es una broma. Sueles estar lista antes que nosotros. Eres tú quien nos apuras —dijo Dev, y se lanzó al agua.

Sage suspiró. Realmente, no era su mañana.

Por fin estaba en el agua. La vida brotaba de cada rincón del arrecife en un ramillete de colores. El agua no era muy profunda. Las plantas, incluidas las algas del arrecife, necesitaban del sol.

Había tanto que ver que Sage tuvo que recordarse a sí misma que tenían una misión: encontrar una corona de espinas lo más pronto posible, si querían ganar. Los cuatro chicos permanecieron cerca unos de otros, con Sage a la cabeza. Contemplaron peces de color azul brillante, algas de color verde limón, corales anaranjados...

Sage se sentía tan a gusto en el agua que no se dio cuenta de que se había adelantado mucho. Cuando se volvió, Dev, Mari y Russell se habían detenido a observar algo. Regresó nadando para ver una isla de coral de un blanco enceguecedor.

Entonces, vio la corona de espinas. Era la estrella de mar más grande que había visto en su vida, y del centro le salían más tentáculos, todos cubiertos de espinas para mayor protección. Pero era el coral el que necesitaba ser protegido. Sage sabía que las estrellas de mar tienen la boca debajo del cuerpo. En ese momento, la boca de esa estrella se estaba comiendo los pólipos del esqueleto de piedra caliza del coral. Se trataba de un coral cuerno de venado, al que solo le queda-ban unas pocas ramas de su color original verde manzana. Cuando Sage apartó la vista, se dio

cuenta de que había otra corona de espinas, y otra, y otra.

Dev enfocó y sacó la foto y todos nadaron hacia la superficie.

—¿La enviaste? —preguntó Sage.

Dev asintió y esperaron la respuesta. Entonces Sage se dirigió a Mari.

—¿Estás bien? —preguntó.

—Esa estrella de mar es un animal muy interesante —dijo Mari, sonriendo con timidez—. Vomita su estómago para digerir los pólipos ahí mismo, en el coral. Después, se traga el estómago y se marcha, como si nada —agregó, con la respiración entrecortada.

—Mari, tu concepto de interesante es un poco raro —dijo Russell, haciendo una mueca de asco.

Sage estaba de acuerdo. Le parecía repugnante. La corona de espinas era un depredador más agresivo que cualquier tiburón.

—¡Qué rápido! Ya tenemos el siguiente acertijo —dijo Dev, mirando la pantalla de la *ancam*.

Sage esperaba que pudieran adivinarlo lo antes posible, fuera lo que fuera, para llegar a la meta en primer lugar.

SUPER-POBLACIÓN

En un ecosistema saludable, los depredadores como la corona de espinas juegan un importante papel. Contribuyen al equilibrio del arrecife, comiéndose los corales de más rápido crecimiento, como el coral cuerno de venado. Sin embargo, cuando el número de coronas de espinas aumenta, se comen demasiados corales y ponen en peligro al arrecife.

El ciclo de vida de esta estrella de mar ayuda a comprender cómo se produce la superpoblación.

Solo las coronas de espinas adultas se alimentan de coral. Las larvas se alimentan de plancton, y las estrellas jóvenes, de algas. Cuando hay abundante alimento para las coronas de espinas en estas fases tempranas, aumenta el número de adultas que se alimentarán del coral. Y, como las adultas son venenosas, tienen muy pocos depredadores.

El calentamiento de las aguas del océano y otras condiciones han contribuido a que, últimamente, un mayor número de coronas de espinas llegue a la adultez. Hay tantas adultas que el arrecife se está destruyendo en algunas partes, pues el coral no crece con suficiente rapidez para contrarrestar su efecto.

CAPÍTULO 8

NO ES UNA SIRENA

Del elefante es primo,

pero tiene cola de ballena.

Aunque ha inspirado cuentos

de sirena,

sus bigotes son más

largos que sus rizos.

—¡Por fin adivino una! ¡Es el dugongo!
—dijo Russell.

Sage comenzó a planear los próximos pasos. Llevaban un buen rato en el agua.

—¿Están listos para seguir? —preguntó.

—Por supuesto. ¿Qué tal si buscamos aquí mismo? —dijo Dev—. A lo mejor recuperamos el tiempo perdido.

Sage miró a Mari otra vez. No era muy buena nadadora y se había sentido mal el día anterior. Ella sabía que debía insistir en que descansaran, pero estaba ansiosa por ganar.

—Me parece bien —dijo Mari, para sorpresa de Sage.

Todos se zambulleron y comenzaron a buscar. Sage quería encontrar un dugongo lo antes posible. Mientras más rápido lo encontraran, más rápido podrían descansar.

Recordó que a veces los dugongos se esconden de los tiburones en lo más profundo del arrecife. Se separó de los demás y nadó entre las torres de coral. Los rayos del suave sol de la mañana no llegaban al fondo del océano. Allí, el agua parecía más turbia y las sombras, más oscuras.

Sintió que algo se movía debajo de ella. Entrecerró los ojos para ver mejor. Volvió a sentirlo, pero no pudo distinguir lo que era. Si quería averiguarlo, debía descender más. Salió a la superficie, respiró hondo y se sumergió.

La criatura se escurrió bajo los corales. Sage no podía saber, en la oscuridad, de qué tamaño era. Sabía que los dugongos eran tímidos y a lo mejor, pensó, esta era la respuesta al acertijo. Descendió un poco más, aunque le estaba empezando a faltar el aire.

Había llegado al fondo del arrecife cuando, de repente, de debajo del coral salió un montón de brazos diminutos. La criatura corrió hacia ella con movimientos torpes. Su cuerpo era del tamaño de una pelota de béisbol, se retorcía y estaba cubierto de pequeños anillos brillantes de color azul intenso.

De pronto, una fuerza agarró a Sage por detrás y la haló hacia la superficie. Trató de gritar, pero le entró agua por la boca y empezó a toser. El sol le daba en la cara, mientras manoteaba, intentando deshacerse de lo que la había atrapado.

—¡Soy yo! —Sage no reconoció la voz hasta que vio la cara de Mari frente a ella—. El pulpo de anillos azules es más mortífero que las aguamalas —continuó diciendo Mari, halando a Sage por el brazo.

—¡No! —gritó Sage, cuando por fin pudo hablar, zafándose de Mari—. ¿Qué estás haciendo? ¿Qué haces aquí?

Mari se separó, confundida.

Sage tenía la careta nublada. Apenas podía ver a Mari y no quería que la chica la viera a ella tampoco.

—No tienes que cuidarme. No te corresponde hacerlo. Puedo sola.

—¡Tenemos la foto! —escucharon una voz lejana—. ¡Sage! ¡Mari!

Sage todavía estaba tratando de recobrar la respiración. Le rodaba el agua por la frente y la nariz. Se tocó la oreja por instinto y comprobó que tenía el arete.

—¡Russell consiguió una foto del dugongo! —gritó Dev.

—Estamos aquí —respondió Mari, agitando las manos al ver los *snorkels* de Russell y Dev.

Los chicos sonreían.

—¡Fue genial! La tomó en tiempo récord —dijo Dev—. Todavía estamos esperando que nos envíen el próximo acertijo. Enséñasela, Russell.

Una sombra pasó por el agua cuando Russell se disponía a mostrarles la pantalla de la *ancam.*

—No es posible, ahí está de nuevo —dijo, señalando hacia el agua.

Los cuatro chicos sumergieron la cabeza. Sage se obligó a respirar calmadamente por el *snorkel*. Trató de olvidar lo que había pasado para concentrarse en el dugongo.

Era chistoso que este animal, con su cuerpo corto y ancho, hubiera inspirado los cuentos de sirenas. No obstante, nadaba con elegancia, como flotando sobre los arrecifes de coral. Sage siempre se había sentido a gusto en el agua, pero ahora lo único que quería era estar en otra parte.

Cuando el dugongo se alejó, los chicos sacaron la cabeza del agua.

—Regresemos al bote —dijo Mari—. Sage encontró un pulpo de anillos azules... o él la encontró a ella. No son comunes tan al norte, pero no quiero que corramos el riesgo de volvernos a tropezar con él.

—Son horribles —dijo Dev.

Los chicos miraron a Sage, pero ella no dijo nada. Aunque el pulpo no la había tocado, se sentía picada.

Cuando llegaron al bote, les había llegado el acertijo. Se trataba de unas coordenadas.

—Quizás allí recibiremos el próximo desafío —dijo Russell.

—Se las daré a Javier y al capitán —sugirió Dev, y miró a Sage en busca de aprobación.

La chica asintió y bajó al camarote que compartía con Mari. Se sentó en el borde de la litera y buscó la foto de su familia que tenía en la mochila. Era lo único que la unía a ellos durante la competencia, ya que no se permitían teléfonos ni cámaras. Miró la foto durante un rato.

Cuando arrancó el motor, se convenció de que tenía que volver a concentrarse en la competencia. El resto del equipo estaba en cubierta y, cuando la vieron, hicieron silencio. Sage no se sorprendió. Así había sido durante el último año. Esto le parecía bueno, porque así ellos también se concentraban en la competencia.

Pero entonces Russell empujó a Mari hacia delante.

—Sage, estamos preocupados —dijo su compañera.

Sage respiró profundo. Dejó caer los hombros y levantó la barbilla.

—Fui a buscarte a propósito. Debemos permanecer juntos, es lo que hace un equipo —dijo Mari.

A Sage le tomó un tiempo darse cuenta de que se refería a lo sucedido en el arrecife. Mari bajó la cabeza. Parecía nerviosa.

—Digas lo que digas, es mi deber cuidarte —continuó—. Es el deber de todos. Tenemos que cuidarnos unos a otros.

Sage contemplaba el mar para no tener que mirarles las caras a sus compañeros.

—Escucha —dijo Russell—. Sabemos que quieres ser la líder del equipo. Eres una buena líder. Y Mari sabe mucho de animales, y Dev entiende de aparatos, y yo seré bueno en algo, pero juntos somos más que eso. No tienes que reírte de nuestras bromas ni decirnos qué piensas hacer con el dinero del premio, pero somos un equipo y no puedes impedirnos que cuidemos de ti.

Sage quiso mirar en otra dirección, pero tropezó con la mirada de Russell. Ambos se miraron fijamente.

—Miren —dijo con suavidad—. Mi hermana y yo íbamos a participar juntas en "La vida silvestre", pero ella tuvo un accidente. —Hacía mucho tiempo que Sage no hablaba de eso con nadie. Casi un año de turnos médicos y rehabilitación. Una eternidad—. Los médicos nos dijeron que

ella no podía participar y yo no quería hacerlo sin ella, pero mis padres pensaban que me haría bien. —Sage hizo una pausa y miró a sus compañeros de equipo—. Creo que querían que saliera de casa, por eso acepté y me prometí a mí misma que ganaría, para llevar a Caroline a todos los lugares a donde siempre quiso ir.

Sage no les dijo que se sentía responsable por lo que le había pasado a su hermana. Debía cuidarla cuando la llevó consigo a la competencia de atletismo, pero ni siquiera había visto cómo se partió el hombro y el brazo porque ella estaba compitiendo en otra parte del terreno. Caroline no hubiera estado allí si ella no la hubiera llevado.

Tampoco les dijo que los aretes se los había dado Caroline para la buena suerte. Sin embargo, por la manera en que todos la miraban, se dio cuenta de que no era necesario decirles nada más.

—A veces, cuando me concentro en esos pensamientos, quiero ganar a toda costa y por eso trato de ponerme al mando. Me parece que es lo único que puedo hacer —dijo—. Cuando Mari se enfermó, me recordó a Caroline y solo quería que estuviera bien.

Estaba agradecida de que nadie dijera nada.

—Y me puse bien —dijo Mari al cabo de un rato—. Tú me cuidaste y yo quise hacer lo mismo por ti.

Sage no pudo mirarle a la cara, pero asintió ligeramente. No estaba acostumbrada a que la cuidaran. Ese había sido siempre su trabajo.

—Te entiendo —dijo Russell, cruzando los brazos—. Es una razón válida para querer ganar.

—Sí, yo también quiero ganar —admitió Dev—. Pero a tu hermana le gustaría que te divirtieras. Tienes que dejar de pensar en el accidente. A ella le gustaría que disfrutaras de esto, no que compitieras solo por llegar de primera.

—Sí, le gustaría que fueras feliz y comieras perdiz. —El mismo Russell se rio de su intento de rima, y Dev puso los ojos en blanco, horrorizado—. Tú empezaste, chico, dijiste "compitieras solo por llegar de primera". El año que viene deberías trabajar escribiendo los acertijos —dijo Russell.

La cara de Dev era tan cómica que Sage no pudo contener la risa, y muy pronto se le sumó Mari. El equipo rojo se olvidó por un momento de la competencia.

DATOS DEL ANIMAL

DUGONGO

NOMBRE CIENTÍFICO: *Dugong dugon*

CLASE: mamífero

HÁBITAT: aguas costeras de los océanos Índico y Pacífico y mares aledaños

ALIMENTACIÓN: algas

Aunque la aleta caudal del dugongo se parece a la de la ballena, el dugongo es pariente del elefante. Sin embargo, no tiene muchas características en común con el gigante orejudo, aparte del color de la piel áspera. ¡Los dugongos ni siquiera tienen orejas! Tienen, en cambio, un hocico grande con el labio superior alargado, que les sirve para arrancar la hierba que desayunan, almuerzan y cenan. Por eso le dicen "vaca marina", al igual que a su pariente, el manatí.

CAPÍTULO 9
UN FINAL EN GRANDE

Javier se sorprendió al encontrar a los chicos muertos de la risa.

—¡Qué bueno que la están pasando bien, pero estamos llegando a las coordenadas! —dijo.

—Gracias —dijo Russell—. Sí, la estamos pasando muy bien. No estará prohibido, ¿no? —agregó.

—Sage, dinos qué hacer para que pare —dijo Dev, dándole un codazo en el estómago a Russell.

Sage no sabía qué decir. ¿Era ese su rol? Miró a Mari, pero la chica negó con la cabeza. Sage contuvo los deseos de reír.

—¿Alguien quiere agarrar los prismáticos? —dijo, poniéndose de pie y tanteando hacia dónde se dirigía el bote—. Necesitamos adivinar cuál será el próximo desafío.

Dev tomó los prismáticos y miró a la distancia.

Javier se volvió hacia la cabina principal. Parecía aliviado de que el equipo rojo estuviera de nuevo en función de la competencia.

Dev anunció que había una pequeña flotilla de kayaks amarrados a un muelle flotante y, detrás, una isla.

—¡Hay un banderín con el logo de "La vida silvestre" en la playa! —exclamó.

—¿Crees que solo habrá que llegar a la isla y ya? —preguntó Mari.

—Bueno, le podemos preguntar al equipo morado —dijo Dev—. Veo a alguien con una camiseta morada en la playa.

Sage negó con la cabeza. El equipo morado era impresionante.

Cuando el motor del bote se apagó, el corazón de Sage latió, galopante. Los chicos saltaron al muelle. Cuando se voltearon para despedirse de Javier, este le dio a Sage una llave roja grande.

—Gracias —dijo ella, y todos le dijeron adiós al guía.

—Debe ser para los kayaks —dijo Dev después de inspeccionar las embarcaciones de dos plazas—. Nuestra llave solo abre el candado rojo.

Sage se dio cuenta de que faltaba un kayak: el del equipo morado. ¿Cuánta ventaja les llevarían los sabelotodos?

Cuando miró hacia donde estaba el banderín de "La vida silvestre", vio que aún había un kayak en el agua. Todavía les faltaba más de la mitad del camino para llegar a la isla.

—¡Miren, no van muy lejos! —exclamó.

No era lo mismo competir por el segundo lugar. No obstante, el equipo rojo aún tenía oportunidad de demostrar quiénes eran.

—Mari, tú ve al frente. Russell, detrás —dijo

Sage, aguantando el kayak para que los otros entraran. Dev les alcanzó los remos—. Russell, ¿tú vuelves a buscarnos?

—Sí —respondió el chico, ya remando.

—¡Apúrense! —gritó Sage.

Mientras los observaba remar hacia la isla, pensó en cuánto se demoraría Russell en regresar a buscarlos.

—Menos mal que sabes ponerte al mando y tomar decisiones. De lo contrario, serías bastante insoportable —dijo Dev.

Sage lo miró de reojo y él sonrió.

—Gracias, es verdad —dijo, tocándose el arete.

Observaron a Mari y a Russell remar.

—Se están acercando al equipo morado —dijo Dev.

—Cierto.

Sage vio que Eliza llevaba a uno de sus compañeros de equipo en el kayak morado. Ya debía haber llevado a los otros dos y supuso que estaría agotada.

—Es raro quedarse aquí mirándolos —dijo Dev.

Sage observó el banderín que ondeaba en la playa.

—¿Te animas a nadar? —preguntó, moviendo intranquila los brazos y las piernas.

—Lo dices en broma, ¿verdad?

—No sé si te habrás dado cuenta de que no soy muy chistosa.

—Pues, vamos —dijo Dev—. Creo que llegaremos más rápido si vamos nadando que si esperamos a que Russell regrese y dé dos vueltas más.

—Creo que tienes razón. —Sage fue hasta el borde del muelle y flexionó las rodillas. Dev hizo lo mismo—. En sus marcas, listos, ¡fuera!

Se lanzaron al mar al mismo tiempo. Sage se sentía bien. Estaba en movimiento. No estaba compitiendo, sino nadando junto a su compañero de equipo.

Habían nadado varias brazadas cuando le pareció oír un grito. Se detuvo, tratando de mantenerse erguida para averiguar qué era. Volvió a escuchar el grito, pero esta vez parecía de alegría. Dev también había parado de nadar y ambos miraban hacia el kayak de Mari y Russell, justo a tiempo para ver una gran aleta caudal chapotear en el agua, a pocos metros del kayak rojo.

—Esa ballena no está guardando la distancia. Bull Gordon podría quitarnos puntos por eso —dijo Dev.

Sage sonrió. En ese momento, no le importaban los puntos ni los acertijos ni la *ancam*, solo que Mari había visto por fin una ballena, tal vez mucho más cerca de lo que hubiera querido.

También se dio cuenta de que el kayak morado no se había detenido y se acercaba a la playa, asegurando el primer lugar.

Mari sostuvo el remo con más fuerza. Sage también sintió que recobraba sus energías y comenzó a nadar dando brazadas fuertes y uniformes. Sentía que los músculos le ardían, pero encontró un buen ritmo y Dev se mantuvo a su lado.

Pronto llegaron juntos a la playa.

—¿Cómo se les ocurre? —dijo Russell, extendiendo el brazo para ayudar a Dev.

—Queríamos llegar y terminar —dijo Dev.

Mari sostuvo a Sage por el brazo para ayudarla a caminar. Sage la miró.

—La ballena —musitó.

—Sí —dijo Mari. Los ojos le brillaban—. La vi.

Tambaleándose a ratos y corriendo otro tanto, llegaron por fin al banderín de "La vida silvestre". Allí estaba Bull Gordon, con el pulgar enganchado en una trabilla de su *jean*, como de costumbre. Ni en la playa dejaba de usar su sombrero de fieltro.

Se detuvieron frente a él.

—Equipo rojo, han quedado en segundo lugar. ¡Felicidades!

—Gracias —dijo Sage a coro con sus compañeros.

—Perdieron la ventaja, pero no parece importarles mucho —dijo Bull Gordon.

A Sage se le ocurrieron mil maneras de responder, mil pretextos, pero todos eran intrascendentes.

—No, al menos a mí no me importa —dijo, mirando a sus compañeros, sin querer hablar por ellos.

—Pasamos por muchas experiencias en esta etapa —dijo Russell.

—Y vimos muchas cosas —agregó Mari.

Ese comentario hizo sonreír a Sage. Mari se parecía mucho a Caroline, pero tenía su propia manera de ser, igual que Russell y Dev. Tenían sus puntos fuertes, pero eran mucho más que eso.

—Sí, pienso igual que ellos —dijo Dev, señalando a Mari, a Russell y a Sage.

Todos miraron a Bull Gordon.

—Muy bien, serán los segundos en empezar en la próxima etapa. Ojalá sepan bastante acerca de los animales del Ártico y de su ecosistema. Necesitarán toda la ayuda posible.

A Sage le dio un vuelco el corazón de solo pensar en otra etapa de la competencia. El equipo rojo tendría una nueva oportunidad de demostrar de lo que eran capaces. Cuando se dirigían hacia la mesa donde otorgaban los premios, junto al equipo morado, Sage pensó en lo que había dicho Bull Gordon. Estaba emocionada porque viajarían al Ártico y por todo lo que verían allí: osos polares, glaciares, lobos. Sin embargo, lo más importante para ella no era dónde sería la próxima etapa de "La vida silvestre", porque ahora sabía algo que

Bull Gordon no podía saber. Fueran adonde fueran, ella ya tenía toda la ayuda necesaria. Sus amigos le habían demostrado la grandeza de trabajar en equipo. Quizá algún día hasta la enseñarían a reírse de las bromas.

¿Quieres saber qué pasa cuándo la competencia

"La vida silvestre" se traslada a la

helada tundra de Alaska?

Lee un avance de la próxima etapa.

Una vez que enviaran una foto de un oso *grizzly,* recibirían el próximo acertijo. Dev le dio unas palmaditas a su confiable *ancam.* La tenía asegurada en el bolsillo interior de su chaqueta.

—Seguro veremos muchos osos *grizzly* —agregó Mari—. Ellos saben que en esta época del año los salmones empiezan a nadar a contracorriente, de regreso al lugar donde nacieron, para desovar.

—Yo sé lo que es desovar. Lo aprendí en un videojuego —dijo Russell desde la orilla del riachuelo—. Pero no creo que los salmones puedan sobrevivir al aliento ácido de un dragón.

—No se trata de eso —rectificó Mari sin siquiera reírse del chiste de Russell—. Desovar es cuando los peces sueltan y fertilizan sus huevos, de donde nacerán los nuevos peces. Los salmones desovan en el mismo lugar donde nacieron. Algunos nadan miles de kilómetros para llegar allí.

Dev admiraba a Mari porque sabía muchas cosas y, sin embargo, no alardeaba.

—Si Dev está en lo cierto, el río está al otro lado de la colina —anunció Sage—. Subamos para ver si hay algún oso.

Sage, Russell y Javier desaparecieron entre la hierba de la orilla, mientras Mari y Dev continuaban caminando por el riachuelo.

Dev empezaba a sentir que estaba de nuevo en una competencia. Trató de pensar en cuál sería el mejor ángulo para sacar la foto. Había un sol fuerte y debía tener cuidado de que no afectara la iluminación. A veces solo daba tiempo a tomar una.

Pensando en eso, no se percató de que el cauce del arroyo se tornaba cada vez más fangoso. Al parecer Mari tampoco lo notó. Con el agua por las rodillas, Dev se dio cuenta de que estaba atascado.

—No me puedo mover —dijo Mari detrás de él.

—Yo tampoco —respondió Dev con voz tranquila.

—Lo digo en serio —dijo Mari, un poco más alto.

—Lo sé, pero no puedes perder la calma. Creo que estamos atascados en una especie de arenas movedizas. Si te desesperas por salir, te puedes hundir más.

Dev hablaba despacio, pero su mente era un torbellino, tratando de resolver el problema como si fuera un rompecabezas, algo en lo que él era muy bueno.

¡LEE EL PRÓXIMO LIBRO PARA QUE TE ENTERES DE LO QUE PASA DESPUÉS!

SOBRE LA AUTORA

KRISTIN EARHART se crio montando a caballo, fastidiando a su gato y leyendo sobre animales fabulosos. Actualmente vive con su esposo y su hijo en Brooklyn, Nueva York, y es autora de varios libros. Todavía ama a los animales, pero cuando fastidia a su gato este le responde fastidiándola a ella.